CATALOGUE

D'UNE JOLIE RÉUNION

D'OBJETS D'ART

& CURIOSITÉS

MINIATURES, GOUACHES & QUELQUES TABLEAUX

Bronzes. — Plusieurs belles Pendules époques Louis XV et Louis XVI, deux beaux Vases fêtes de Bacchus, par François Flamand, Coffee finement ciselé. Ostensoir en repoussé, Belle statuette de Mercure, Groupe, etc.

Émaux de Limoges. — Sujets de sainteté, l'assomption de la Sainte Vierge, un Christ sur la croix, un Bénitier, Jésus et la Samaritaine. Portraits et autres sujets.

Ivoires sculptés. — Jolies Statuettes, Bas-reliefs et Boîtes.

Porcelaines et Biscuits de Sèvres, de Saxe et de Chine, jolies Tasses, Écuelles, Assiettes, Groupes et Statuettes, plusieurs pièces en cristal de roche et verroterie.

Meubles anciens. — Cabinet en ébène, Buffet en chêne sculpté, deux Meubles à portes vitrées en bois rose garnis de bronzes, Coffrets en marqueterie, Consoles sculptées et autres Meubles d'art, un beau Paravent chinois.

Faïences et Terres émaillées. — Une Fontaine et un Vase du temps de Henri II, orné de médaillons historiques et pièces en faïence et ancien grès. — **Objets divers.**

Provenant de la collection de feu le Baron de T***

ET DU CABINET DE M. B***

sont la vente aux enchères publiques aura lieu

HOTEL DES COMMISSAIRES-PRISEURS

RUE DROUOT, 5

SALLE N° 2

Le Jeudi 18 Mars 1858, à 2 heures précises

Par le ministère de M° DELBERGUE-CORMONT, C^re-Priseur, rue de Provence, 8,

Assisté de M. DHIOS fils, Appréciateur, rue Lepeletier, 85

CHEZ LESQUELS SE DISTRIBUE LE CATALOGUE.

EXPOSITION PUBLIQUE

Le Mercredi 17 mars 1858, de midi à 5 heures.

—

1858

RENOU ET MAULDE

IMPRIMEURS DE LA COMPAGNIE DES COMMISSAIRES-PRISEURS

Rue de Rivoli, 144.

CATALOGUE

D'UNE JOLIE RÉUNION

D'OBJETS D'ART

& CURIOSITÉS

MINIATURES, GOUACHES & QUELQUES TABLEAUX

Bronzes. — Plusieurs belles Pendules époques Louis XV et Louis XVI, deux beaux Vases fêtes de Bacchus, par François Flamand, Calice finement ciselé, Ostensoir en repoussé, Belle statuette de Mercure, Groupe, etc.

Émaux de Limoges. — Sujets de sainteté, l'assomption de la Sainte Vierge, un Christ sur la croix, un Bénitier, Jésus et la Samaritaine, Portraits et autres sujets.

Ivoires sculptés. — Jolies Statuettes, Bas-reliefs et Boîtes.

Porcelaines et Biscuits de Sèvres, de Saxe et de Chine, Jolies Tasses, Écuelles, Assiettes, Groupes et Statuettes, plusieurs pièces en cristal de roche et verroterie.

Meubles anciens. — Cabinet en ébène, Buffet en chêne sculpté, deux Meubles à portes vitrées en bois rose garnis de bronzes, Coffrets en marquetterie, Consoles sculptées et autres Meubles d'art, ur beau Paravent chinois.

Faïences et Terres émaillées. — Une Fontaine et un Vase du temps de Henri II, orné de médaillons historiques et pièces en faïence et ancien grès. — **Objets divers.**

Provenant de la collection de feu le Baron de T***

ET DU CABINET DE M. M***

dont la vente aux enchères publiques aura lieu

HOTEL DES COMMISSAIRES-PRISEURS

RUE DROUOT, 5

SALLE No 2

Le Jeudi 18 Mars 1858, à 2 heures précises

Par le ministère de Me **DELBERGUE-CORMONT**, Cre-Priseur,
rue de Provence, 8,

Assisté de M. **DHIOS** fils, Appréciateur, rue Lepeletier, 33

CHEZ LESQUELS SE DISTRIBUE LE CATALOGUE.

EXPOSITION PUBLIQUE

Le Mercredi 17 mars 1858, de midi à 5 heures.

—

1858

CONDITIONS DE LA VENTE

Elle sera faite au comptant.

Les acquéreurs payeront, en sus des adjudications, cinq pour cent applicables aux frais.

DÉSIGNATION

DES OBJETS

— 1 — Belle pendule en bronze doré, rocaille, époque
Louis XV. Belle ciselure.

— 2 — Pendule bronze doré et marbre blanc, à sujet.
Époque Louis XVI. Bien ciselée.

— 3 — Pendule bronze doré. Une jeune fille et une
brebis représentent l'emblème de la douceur.
Époque Louis XVI. Très-belle de ciselure.

— 4 — Pendule bronze doré et marbre blanc. Figures
de Flore et Zéphir. Époque Louis XVI.

— 5 — Cartel en marqueterie de Boule, avec une montre ancienne en argent et à réveil. La boîte
est bien ciselée.

6 — Beau paravent chinois à six feuilles; oiseaux en relief, avec laque. Orné de peintures.

— 7 — Belle console. Support en bois sculpté et doré.

— 8 — Pied de calice en cuivre doré orné de jolies figures d'anges. Beau de ciselure.

9 — Trois pièces en verre à filets bleus. Vases et coupe montés en bronze doré.

10 — Lanterne en bronze, forme de coupole, garnie de verres de couleur.

— 11 — Groupe en bronze. Le roi Jean et Philippe-Auguste.

12 — Candelabre en fonte et bronze, à sept lumières.

13 — Plusieurs paires de flambeaux en bronze doré.

14 — Deux lampes solaires en bronze.

15 — Galerie de cheminée en bronze et dorure.

16 — Deux paires de pelles et pinces, bronze et dorure.

17 — Une paire de bras en bronze moderne.

— 18 — Deux vases, forme Médicis, en bronze ciselé, par François Flamand. Ils représentent des enfants célébrant une fête de Bacchus; montés sur des socles en bronze.

19 — Statuette de Louis XVI, en bronze, sur son socle de même matière, avec les armes de France dorées.

20 — Un Mercure (dit de Bologne) en bronze.

21 — Plateau et cafetière et autres pièces en plaqué.

22 — Boîte contenant deux violons.

23 — Deux étagères en acajou.

24 — Deux flacons en cristal.

25 — Un cabaret en bois de figuier.

26 — Socle en marbre et colonne en stuc.

27 — Plusieurs jolis groupes en porcelaine de Saxe.

28 — Deux meubles à portes vitrées en bois rose, garnis de bronzes.

29 — Un meuble, beau et grand cabinet en ébène.

30 — Un meuble en bois rose formant secrétaire et armoire.

31 — Un escabeau en bois sculpté.

32 — Une chaise chauffeuse, bois sculpté, garnie de velours rouge.

33 — Un bronze moderne. Enfant supportant une coquille, en forme de bénitier ou vide-poche.

34 — Trois volumes in-4° richement reliés de maroquin rouge à filets et tranches dorés. La Suisse pittoresque et les Veillées vaudoises ; ornés de belles gravures.

35 — Douze pièces en bronze ciselé, modèles pour cloches d'apparat de services en plaqué, représentant des poissons, bœuf, asperges, artichauts, chouffleurs, pois, etc.

36 — Plusieurs bouquets en argent. Modèles pour cloches.

37 — Une bassinoire à eau chaude en plaqué.
Fabrique Gandois.

38 — Un flambeau en plaqué, ornements d'argent.

Même fabrique.

38 bis — Coquetiers, barbière et étiquettes, en plaqué.

Même fabrique.

39 — Plusieurs pièces en porcelaine de Sèvres, décorées, tasses et assiettes.

Ce numéro sera divisé.

40 — Une petite tasse et sa soucoupe, en porcelaine de Sèvres, bleu turquoise, décorée de bouquets de fleurs.

— 41 — Trois pièces pierre de laar, bas-reliefs et Magot chinois.

42 — Une écuelle en porcelaine de Sèvres, montée en bronze doré.

43 — Deux pièces, cornet et flambeau, montés en bronze doré.

44 — Un cheval, ancien bronze, sur un socle en marqueterie de Boule.

45 — Une statuette en bois sculpté, un jongleur.

46 — Un bas-relief représentant les Quatre parties du Monde, repoussé en argent.

47 — Biscuits, statuettes et bustes.

48 — Cinq pièces en cristal de roche : deux pipes, un flacon, une boîte et un morceau gravé.

49 — Cinq étuis anciens dont un en matière dure.

50 — Environ douze boîtes et bonbonnières anciennes en écaille, avec incrustations d'argent, Saxe, agate, cuivre repoussé et autres.

Ce numéro sera divisé.

51 — Six pièces en fer gravé et damasquiné or et argent : couteau, fourchette, râpe à tabac, poi-
gnée d'épée, cachet et une ancienne mesure.

52 — Un cartel en bronze doré, époque Louis XV ; il
est garni d'une montre ancienne

53 — Environ quarante pièces en cuivre et bronze,
repoussés, bas-reliefs médaillons, bougeoirs
et autres objets.
> Ce numéro sera divisé.

Ivoires sculptés.

54 — Une statuette de saint Nicolas, revêtu des insi-
gnes d'archevêque ; il tient sa croix d'une
main, et de l'autre donne sa bénédiction à
un enfant qui est près de lui.

55 — Une statuette de saint Michel terrassant le Dé-
mon. Bien sculptée. Travail ancien.
> Ce numéro sera divisé.

56 — Environ trente pièces en ivoire sculpté, jolies
boîtes, bas-reliefs, groupes, rappes et autres
objets.

Émaux de Limoges.

57 — Le Christ sur la croix ; aux pieds, derrière la
croix, on voit des soldats à cheval ; dans le
fond une ville.
> Signé derrière, B. Nouailhier, à Limoges.

58 — L'Assomption de la Sainte Vierge ; elle est entourée d'anges. Belle peinture rehaussée d'or.
Signé derrière, N. Laudin, émailleur, près les Jésuites, à Limoges.

59 — Bénitier représentant Jésus et la Samaritaine.
Signé derrière, B⁵ Nouailhier, à Limoges.

60 — Saint François-Xavier. Émail rehaussé d'or.
Signé, H. Laudin.

61 — Environ quinze émaux de Limoges. Sujets de sainteté et portraits.
Ce numéro sera divisé.

Émaux de Saxe et modernes.

62 — Un émail de forme ronde, la Charité romaine, monté en broche, entouré de perles fines.

63 — Environ quinze émaux, portraits, sujets gracieux, dessus de boîtes et autres.
Ce numéro sera divivé.

Miniatures.

64 — Wille. La Famille de Camille Desmoulins apprenant la nouvelle de l'arrêt qui le condamne à périr. Miniature encadrée sur une boîte en écaille, forme ronde.

65 — Une miniature, le Mariage mystique de sainte Catherine, dans un cadre en cuivre doré et ciselé à jour.

66 — Une miniature attribué à Charlier, Mars et Vénus. Dans un cadre doré, forme ovale.

67 — Une miniature, Sainte Famille. Dans un cadre en bronze doré de forme octogone. ————

68 — Environ quarante miniatures seront vendues sous ce numéro. Jolis portraits de femmes du xviii° siècle, sujets gracieux, etc.

Ce numéro sera divisé.

69 — Plusieurs petits portraits historiques peints à l'huile.

Ce numéro s ra divisé.

70 — Trois bagues et épingle, camées et cornaline, montées en or.

71 — Un manuscrit sur vélin avec miniatures.

72 — Un pied d'ostensoir en cuivre repoussé et doré.

73 — Une petite horloge en cuivre gravé et doré, du temps de Louis XIII, cadran en argent.

74 — Une fontaine en terre émaillée, du temps de Henri II; de forme carrée surmontée de quatre tourelles, avec médaillons et portraits historiques; sur les quatre faces on voit l'écusson de France.

75 — Même terre émaillée. Un vase à deux anses avec l'écusson de France.

Ces deux pièces sont très-curieuses.

76 — Le Jugement dernier, pièce en ancien grès; l'on voit un nombre considérable de figures bizarres.

Objet très-curieux.

77 — Une petite montre émaillée sur or.

78 — Un coffret en argent forme de malle.

79 — Plusieurs jolis cadres pour miniatures, en cuivre ciselé et doré.

80 — Tous les objets omis au présent catalogue seront vendus sous ce numéro.

RENOU et MAULDE, Imprimeurs de la Compagnie des Commiss.-Priseurs, rue de Rivoli, 144.